Magi'n Mynd am Dro

Magi's Walk

gan/by Pat Hutchins

Magi'n Mynd am Dro

Magi's Walk

gan/by Pat Hutchins

ISBN 978-1-906800-01-7

Addasiad Cymraeg gan Elin Owen Jones o'r llyfr Rosie's Walk gan Pat Hutchins
Welsh Adaptation by Elin Owen Jones of the book Rosie's Walk by Pat Hutchins

Cyhoeddwyd trwy drefniant ag Atheneum Books for Young Readers
Argraffnod o Adain Simon & Schuster Children's Publishing
1230 Avenue of the Americas, New York, NY 10020

*Published by arrangement with Atheneum Books for Young Readers
An imprint of Simon & Schuster Children's Publishing Division
1230 Avenue of the Americas, New York, NY 10020*

68/70 Kinmel Street, Rhyl LL18 1AW
t 01745 - 331411 f 01745 - 331310
e info@gwasg.com w www.gwasg.com

i Wendy a Stephen

for Wendy and Stephen

Aeth Magi'r iâr am dro

Magi the hen went for a walk

ar draws y buarth

across the yard

o amgylch y pwll

around the pond

dros y mwdwl gwair

over the haycock

heibio i'r felin

past the mill

blawd
flour

blawd
flour

ŷd
corn
ŷd
corn
ŷd
corn
ŷd
corn

trwy'r ffens

through the fence

o dan y cychod gwenyn

under the beehives

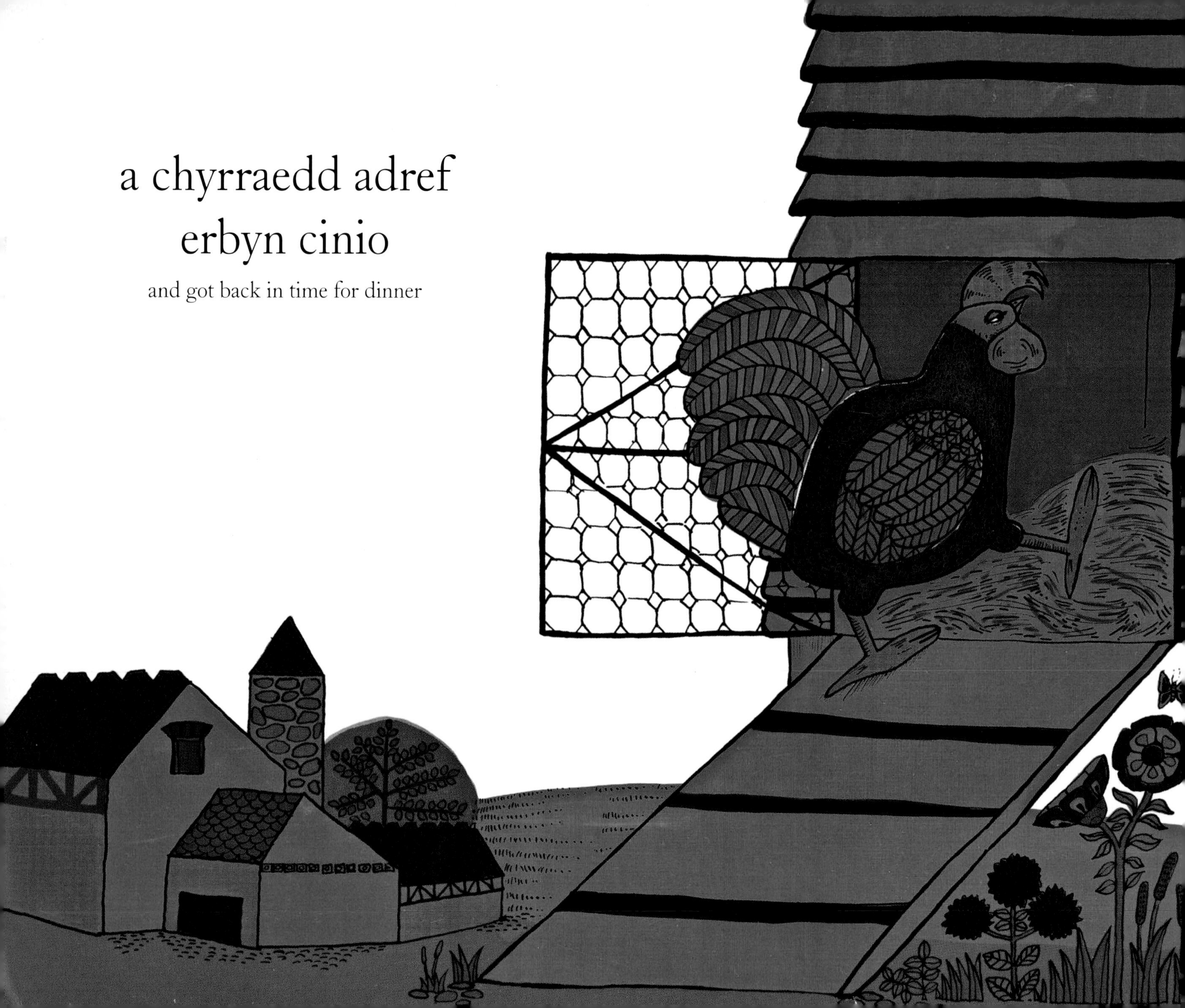

a chyrraedd adref
erbyn cinio

and got back in time for dinner